LES GOÛTERS PHILO

BRIGITTE LABBÉ · MICHEL PUECH

LA JUSTICE ET L'INJUSTICE

ILLUSTRATIONS DE JACQUES AZAM

MiLAN

Au menu de ton Goûter Philo

Ni juste, ni injuste

- Clémence mange des cornichons
  au petit déjeuner.
- Raphaël ne met pas de chaussettes
  dans ses tennis.
- Lucie marche à cloche-pied pour aller
  à l'école.
- Kévin s'endort toujours avec un doigt
  dans l'oreille.
- Marcel n'écoute que du hard rock.
- Émilien ne veut pas faire
  de roller.
- Lisa met du vernis noir
  sur ses ongles de pied.

Tout cela, ce n'est ni juste ni injuste.

Dans la vie, heureusement, il n'y a pas que des choses justes d'un côté et des choses injustes, de l'autre. Nous ne sommes pas obligés de nous demander, toutes les 2 minutes, si ce que nous faisons est juste ou pas juste. Nous le faisons, et c'est tant mieux que ce soit comme ça.

Pourtant, on a l'impression qu'il y a des injustices partout : à la maison, à l'école, au travail, toute la journée, sans arrêt.

Combien de fois par jour dit-on : « *C'est pas juste* » ?

« Il pleut, c'est pas juste, on devait aller à la fête foraine. »

« C'est pas juste, je ne tombe jamais malade quand il y a école. »

« Mon gâteau a brûlé dans le four, c'est pas juste. »

« Je cours moins vite que Dimitri, c'est pas juste. »

« C'est pas juste, cette année, la mer est pleine de méduses, on ne peut pas se baigner. »

En fait, souvent, quand on dit « *C'est pas juste* », ça veut plutôt dire « *Ça m'embête* ».

La **galette** des Rois

Qui aura la fève ? Bruno, Anne, Dominique, Cécile et Jacques tournent autour de la galette pour essayer de repérer la fève et se servir la bonne part. Cécile a vu une petite bosse, Bruno croit voir un bout blanc dépasser, les autres cherchent toujours. Finalement, tout le monde veut la même part, en croyant que la fève y est. Impossible de se partager la galette. Pour arrêter les disputes, ils se mettent d'accord pour qu'Anne se mette sous la table et dise quelle part on donne à chacun. Comme elle ne voit rien, aucun risque de triche. Ce sera forcément juste.

Ils ont inventé une règle de distribution. Une règle qui ne favorise personne. Si Bruno a la fève, ce sera impossible de dire que c'est injuste.

Pourtant, il sera roi, il aura un cadeau, les autres ne seront rien du tout et n'auront rien du tout. Mais personne ne dira : « *Ce n'est pas juste que Bruno soit le roi !* » Parce que tout le monde sait que la règle de partage, décidée par tous, est juste. La justice, c'est d'abord une histoire de partage. Si tous les habitants de la Terre ont une assiette de riz à manger par jour, on ne pensera pas : « *C'est injuste de n'avoir qu'une assiette de riz par jour.* » Mais si certains hommes ont 50 assiettes de riz par jour, et puis aussi des brochettes, des glaces, des gâteaux, là, on dira : « *Ce n'est pas juste, les autres ont faim.* » Quand le partage est trop mal fait, c'est l'injustice.

Le partage, c'est pas facile !

Est-ce qu'à mon anniversaire, c'est juste que j'aie la même part de gâteau que tout le monde ? Comme c'est mon anniversaire à moi, c'est peut-être plus juste que j'aie une part plus grosse que les autres. Et mes meilleurs amis doivent en avoir plus, puisque je les aime plus. Et les petits doivent avoir de plus petites parts, puisque leur estomac est plus petit. Et ceux qui n'ont pas mangé depuis

3 heures devraient en avoir plus que ceux qui ont mangé il y a 1 heure. Ouh ! là, là ! Cela devient très compliqué de partager. Finalement, le plus simple, c'est quand même de décider que tout le monde ait exactement la même part. C'est facile, rapide, on ne se pose pas cent mille questions. Sinon, on n'en finirait pas de discuter.

Voilà une justice bien pratique : à chacun la même chose.

Mais en réalité, rien ne marche comme ça ! Est-ce que la maîtresse de CE2 gagne autant d'argent que le gardien de but de l'équipe de France ? Non. Le gardien de but gagne 100 fois plus que la maîtresse. Et pourtant, elle a un travail important, elle apprend des choses aux enfants, des choses qui leur serviront toute leur vie. Le gardien de but de l'équipe de France, lui, il attrape des ballons !

Est-ce que tous les enfants partent en vacances au bord de la mer, en été ? Non. Beaucoup d'enfants n'ont jamais vu la mer, et d'autres y vont tous les ans.

Est-ce que tous les hommes ont assez à manger ? Non. Des millions de gens mangent tout ce qu'ils veulent, et même trop, des millions d'autres ont toujours faim, ou même, meurent de faim.

Alors quoi ? Il est où, le partage ? C'est bon pour les gâteaux, cette histoire de « Tous pareils », mais pour le reste, c'est vraiment pas ça !

« Juste », ça veut dire « pareil » ?

Les habitants du pays Equalia trouvent
que Noël est une fête injuste : certains
enfants reçoivent beaucoup de cadeaux,
d'autres seulement 1 ou 2, certains

ont des cadeaux très gros, d'autres,
des tout petits. Ils décident d'arrêter
ces injustices et votent une loi :
en novembre, une lettre sera envoyée
aux parents pour leur dire ce qu'ils
ont le droit d'offrir à leurs enfants.
La lettre précisera les cadeaux
pour chaque âge. Cette année,
pour les garçons de 6 à 8 ans,
c'est un déguisement de Zorro
et un livre, et pour les filles du même
âge, un coffret de maquillage
et une boîte de crayons de couleur.

Au moment de la distribution des cadeaux, c'est l'égalité parfaite.

Mais Antoine, qui a 8 ans, ne se déguise jamais et déteste lire. Corinne, qui a 7 ans, adore lire mais cela ne l'intéresse pas de se maquiller, et elle préfère dessiner avec des feutres qu'avec des crayons de couleur.

Oui, c'est vrai, la loi de ce pays essaie d'être juste. Mais qui a envie de passer Noël à Equalia ? Cette loi ne tient pas compte du goût des gens, de leurs envies, de leur personnalité. Dans ce pays, on pourrait aussi dire que tout le monde doit s'habiller de la même manière, avoir la même maison, partir en vacances au même endroit. Ce serait vraiment l'égalité parfaite.

On voit bien que ce n'est pas terrible. Plus personne n'a le choix, plus personne n'est libre.

Même si ça ressemble à une très belle idée, très généreuse, on ne peut pas dire que la justice, c'est tout le monde pareil. Ce n'est pas si simple.

Alors, comment on fait ?

On cherche des solutions pour donner à ceux qui ont moins, sans être injuste avec les autres. Essayer de mieux distribuer, c'est le travail des gouvernements, des partis politiques, des associations.

- Monsieur Rondu a un bon métier.
- Tous les ans, il paie des impôts.
- À chaque fois qu'il doit envoyer
- le chèque pour les payer, il râle :
- « J'en ai marre de donner cet argent
- au gouvernement, je préférerais
- le garder pour faire des cadeaux
- à mes enfants, à ma femme, et m'acheter une nouvelle montre. »

Mais justement, la loi demande à monsieur Rondu de ne pas tout garder pour lui et sa famille. La loi lui demande de redonner un peu de sa part aux autres. Avec ces impôts, on construit des écoles pour tous les enfants, on paie les professeurs. On construit des hôpitaux, et tout le monde peut s'y faire soigner. On construit des routes, et tout le monde peut rouler dessus. On organise des colonies de vacances, on rend la cantine moins chère pour ceux qui gagnent moins, on donne de l'argent à ceux qui ne trouvent pas de travail…

Monsieur Rondu a un travail, il gagne de l'argent, il paie des impôts, c'est la loi. Une loi inventée pour redistribuer les parts, pour essayer d'être plus juste.

Normalement, les lois servent à construire la justice.

Quelquefois, les lois fabriquent de l'injustice

- 15 juin 1960, dans un pays lointain.
- Moussa et Peter jouent au foot
- dans la rue. Le père de Peter arrive

et lui propose d'aller dans
un nouveau jardin qui vient
d'ouvrir, pas loin
de chez eux.
Il paraît qu'il y a
des trampolines
et des toboggans
géants. Peter est
content et invite
Moussa ; ils ont tous
les deux envie de faire
du trampoline, et aussi de
continuer leur partie de foot là-bas.
« Impossible, dit son père, Moussa
ne peut pas venir ; ce jardin est
interdit aux Noirs, vous terminerez
votre partie un autre jour. » Peter râle,
mais rien à faire, c'est la loi.

Dans ce pays, les lois disent que les gens qui
ont la peau noire n'ont pas le droit d'aller
dans les mêmes jardins que les Blancs, pas
le droit d'habiter dans les beaux quartiers,
d'aller dans les meilleures écoles, de monter

dans certains bus, d'avoir le même travail que les Blancs, de voter aux élections…

Et, c'est facile à deviner, ceux qui décident ces lois… ont la peau blanche.

Dans d'autres pays, des lois disent que les femmes n'ont pas le droit de conduire de voiture, de sortir seules dans la rue, de décider avec qui elles se marient.

Et, c'est facile à deviner, ceux qui décident ces lois… sont des hommes.

Il existe des lois qui créent l'injustice, des lois qui ne traitent pas tout le monde de la même manière.

Les lois justes, elles, sont forcément des lois universelles, c'est-à-dire justes pour tout le monde.

Aujourd'hui, transformation générale !

Si, d'un coup de baguette magique, les hommes à la peau blanche devenaient noirs, ils hurleraient contre les lois du pays de Moussa. Et si tous les hommes devenaient des femmes, ils changeraient immédiatement les lois de certains pays. Ils se rendraient compte que ces lois sont injustes.

Voilà une bonne idée pour faire des lois justes : imaginer que n'importe qui pourrait être à la place de n'importe qui.

Imaginer que demain, tout le monde puisse devenir femme, homme, enfant, noir, blanc, jaune, juif, chrétien, musulman, être de n'importe quelle religion ou sans religion, riche, pauvre, handicapé, exercer n'importe quel métier, attraper n'importe quelle maladie...

Donc la justice commence à se construire quand on choisit ceux qui décident les lois, quand on vote : c'est important de choisir des gens qui ne pensent pas qu'à eux, ou à leurs amis, ou à ceux qui leur ressemblent, ou qui habitent près de chez eux, ou qui ont le même travail...

Qui décide du juste ?

On a l'impression que ceux qui décident du juste, ce sont ceux qui commandent : les adultes, les parents, la maîtresse ou le maître, le directeur ou la directrice de l'école, le patron, les ministres, le président, le roi... Mais ce n'est pas parce qu'on commande qu'on est forcément juste !

Le roi se promène dans la campagne, à cheval, avec ses gardes. De loin, il voit des maisons rouges. Aujourd'hui, il déteste le rouge ; il ordonne donc à ses soldats de brûler tout de suite ces maisons rouges.

À la ville, il s'arrête chez le marchand de journaux. Il trouve que, dans le journal *L'Oie sauvage*, des choses pas assez gentilles sur lui ont été écrites. Il ordonne à ses soldats d'interdire immédiatement ce journal. Sur la route du retour, il remarque de magnifiques jardins. Il fait chercher les jardiniers qui s'en occupent et leur ordonne de venir travailler dans les jardins de son palais.

Ici, toutes les décisions dépendent des envies d'une personne. Une personne qui se fiche totalement des droits des autres. C'est le contraire d'un pays juste. Tout est injuste. Ce serait comme ça à l'école s'il n'y avait aucun règlement, aucune loi.

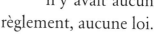

Un matin, le directeur punirait ceux qui portent des blousons en cuir parce qu'il déteste l'odeur du cuir, un maître déciderait qu'il faut se taire pendant les récréations parce qu'il a mal à la tête, à la cantine une maîtresse donnerait 2 desserts aux filles qui ont des cheveux longs…

Le but de la loi, c'est d'éviter que les caprices de quelques personnes commandent les autres.

C'est **pas** juste !

- Patrick et Marianne ont fabriqué
- une boîte aux lettres. Elle est dans
- le salon. Ils mettent dedans des mots
- sur lesquels ils écrivent tout ce qu'ils
- trouvent injuste dans leur vie.
- Sur le dessus de la boîte, ils ont écrit
- avec un gros feutre noir : « Boîte à
- injustices ». De temps en temps,
- ils demandent à leurs parents de
- l'ouvrir, de lire les mots et d'en discuter.
- Patrick et Marianne ont inventé

ce système parce qu'ils trouvent que leurs parents ne prennent pas le temps de les écouter. D'ailleurs, Patrick et Marianne ont écrit : « C'est pas juste, vous ne nous écoutez pas, vous êtes toujours pressés. »

Lisons les mots de la semaine.

« C'est pas juste, je dois éteindre le soir à 20 heures ; Patrick, lui, il a le droit de lire jusqu'à 21 heures. » (Marianne)

« C'est pas juste, mes copains ont 2 euros d'argent de poche par semaine, et moi, 1 euro 50. » (Patrick)

« *C'est pas juste, comme Marianne est plus petite, vous prenez toujours sa défense : il suffit qu'elle pleure, et vous lui passez tout.* » (Patrick)

« *C'est pas juste, comme Patrick est plus grand, vous lui permettez tout, il peut voir des séries, et moi rien que des dessins animés de bébé.* » (Marianne)

Tout le monde a sa boîte à injustices

Patrick et Marianne trouvent beaucoup de choses injustes dans leur vie. Ils ont raison d'en parler, de discuter avec leurs parents pour voir si certaines règles peuvent changer. Les adultes aussi font ça. Si les conducteurs d'autobus trouvent injuste de ne pas gagner plus d'argent, ils en parlent à leur patron ; si ça ne marche pas, ils trouvent d'autres méthodes, comme arrêter de travailler pour faire grève.

Les personnes qui sont en fauteuil roulant trouvent injuste qu'il y ait des escaliers partout.

Pour elles, ce serait juste de construire aussi des rampes pour faire rouler leur fauteuil. Pour se faire entendre, elles écrivent dans les journaux, ou au gouvernement, ou font des manifestations. Patrick, Marianne, les conducteurs d'autobus, les personnes en fauteuil roulant demandent plus de justice.

Une autre boîte à injustices

Dans une autre boîte à injustices, on peut lire : « C'est pas juste, il y a des pays où des enfants de 10 ans travaillent dans des usines » ; « C'est pas juste, il y a des gens qui dorment dans la rue » ; « C'est pas juste, il y a des parents qui battent leurs enfants » ; « C'est pas juste, il y a des gens qui ne peuvent pas sortir de leur pays » ; « C'est pas juste, il y a des gens malades qui n'ont pas d'argent pour se faire soigner »...

On voit bien que, maintenant, on ne parle plus des injustices de la maison, de l'école, de notre vie de tous les jours. On ne parle plus des problèmes de justice qui nous touchent nous, et seulement nous. On parle maintenant d'une justice pour l'ensemble des êtres humains, une justice qui doit exister pour tous les hommes.

Si Patrick a moins d'argent de poche que ses copains, on peut toujours discuter pour savoir si c'est injuste ou pas. Mais quand on voit des gens qui ont faim, des enfants qui travaillent à l'usine, des enfants battus, on sait que ce n'est pas juste, ça ne se discute pas. On reconnaît immédiatement que c'est injuste ; personne ne peut dire que c'est juste.

Cette justice-là, on l'appelle une justice « universelle ». C'est une justice qui ne défend pas quelques personnes seulement, mais qui défend tous les hommes, toutes les femmes, tous les enfants de la Terre.

Les droits de l'homme...

Les hommes se sont mis d'accord sur les grandes choses qui sont justes et pas justes pour tout le monde. Ils ont écrit tout ça dans un texte qui s'appelle la Déclaration universelle des droits de l'homme. Les droits de l'homme, ce sont les droits que tous les humains doivent avoir : le droit d'avoir un travail assez bien payé, le droit d'être en sécurité, le droit de partir de son pays et d'y revenir, d'avoir la religion que l'on veut ou pas de religion, le droit d'apprendre à lire, à écrire, de faire des études… Beaucoup de pays ont dit qu'ils étaient d'accord, et ils ont signé la Déclaration universelle des droits de l'homme.

Mais il n'y en a pas beaucoup qui arrivent à la respecter complètement. Quand des clochards dorment dehors, la Déclaration des droits de l'homme n'est pas respectée, puisqu'elle dit que tous les hommes ont le droit d'avoir un logement.

Quand certaines femmes n'ont pas le droit de choisir leur mari, la Déclaration des droits de l'homme n'est pas respectée, puisqu'elle dit que tout le monde est libre de choisir avec qui se marier.

LES DROITS DE L'HOMME

Quand quelqu'un est en prison uniquement parce qu'il n'est pas d'accord avec les dirigeants du pays, la Déclaration des droits de l'homme n'est pas respectée.

Mais c'est déjà un énorme progrès que cette déclaration existe. Cela veut dire qu'on veut un monde plus juste.

Cela veut dire aussi que tout le monde peut défendre cette Déclaration, dénoncer les pays qui ne la respectent pas, les convaincre de ne pas recommencer, et même peut-être les punir.

... et les droits de l'enfant

Il existe aussi une Déclaration des droits de l'enfant. Parce que, lorsque ce sont des enfants qui sont victimes de l'injustice, l'injustice est encore pire.

- Aujourd'hui, les CM1 ont piscine.
- Tout le monde est dans les vestiaires,
- et, catastrophe, Stéphane s'aperçoit
- qu'il a oublié son maillot de bain. Il va

le dire au maître nageur. Cela fait 3 fois depuis le début de l'année que Stéphane oublie son maillot. D'habitude, le maître nageur lui en prête un, mais là, il s'énerve : « Cette fois, ça suffit, pour t'apprendre à ne plus l'oublier, nage tout nu, ça te servira de leçon ! » Horreur ! Tout nu, devant les copains et les filles !

Il faut que Stéphane refuse.
La Déclaration des droits de l'enfant dit : « La discipline scolaire doit respecter ta dignité. » Obliger Stéphane à se mettre nu, ça ne respecte pas sa dignité, c'est humiliant. Stéphane a le droit de refuser, le maître nageur doit comprendre. Sinon, il faut que Stéphane en

parle à ses parents, à sa maîtresse, et même peut-être à un juge, pour dire que ses droits ne sont pas respectés, que ce qu'on lui demande est injuste.

Connaître ses droits, connaître la loi, ce qui est juste, ça permet de se défendre. De demander la justice. Voilà aussi à quoi servent les lois.

Et les punitions, à quoi elles servent ?

Bertrand Dupont a cambriolé la maison de monsieur et madame Rafi. Il a volé des bijoux en or, une télévision, 1 500 euros et un ordinateur. Les policiers, après une enquête, ont arrêté Bertrand Dupont. Il va être jugé et risque d'aller en prison. Il ne comprend pas : il a tout

Je ne recommencerai plus

rendu aux Rafi, l'argent aussi, car
il n'avait pas dépensé un centime et,
en plus, rien n'était cassé.
Pourquoi n'est-il pas relâché, puisqu'il
a tout redonné ?

Les Rafi sont contents, ils ont tout récupéré. Mais l'histoire ne s'arrête pas là. Bertrand Dupont a commis une injustice, car la loi dit qu'il est interdit de voler. Rendre ce qu'il a volé ne suffit pas. Il sera puni pour réparer l'injustice. Quand la loi n'est pas respectée, c'est un peu comme si la justice était abîmée. Et quand quelque chose est abîmé ou cassé, on essaie de le réparer. Les punitions servent à ça. Si le voleur rentrait tranquillement chez lui après avoir tout rendu, la plupart des gens trouveraient que la justice n'a pas été respectée. Parfois, c'est pire. Si Bertrand Dupont avait tué quelqu'un pendant son cambriolage, on le mettrait en prison pour réparer, mais aussi pour se protéger. Parce qu'il serait dangereux, il faudrait l'enfermer pour éviter qu'il tue quelqu'un d'autre.

La peur du gendarme

Les punitions servent encore à autre chose :
à faire peur.

En France, la loi dit : « Interdit de rouler
à plus de 130 kilomètres à l'heure sur l'auto-
route. »

Aujourd'hui, tous les gendarmes sont
en vacances. Personne ne surveille
les autoroutes. Que va-t-il se passer ?
Certains se disent que la loi existe
toujours et roulent doucement.
Mais il n'y en a vraiment pas
beaucoup ! Les gens pressés roulent
à 160 km/h, ceux qui ont une grosse
voiture roulent à 200 : presque tout
le monde appuie au moins une fois
au maximum sur l'accélérateur
pour s'amuser et faire des pointes
de vitesse. Mais le lendemain,
dès que les gendarmes sont au bord
des routes, les conducteurs se calment
et roulent à 130 km/h.

Quand les gendarmes ne sont pas là, beaucoup de gens roulent trop vite, parce qu'ils n'ont pas peur de se faire prendre. Et pourtant, la loi est toujours là, elle ne s'en va pas avec les gendarmes ! Quand ils reviennent, tout le monde fait attention parce que les gendarmes, avec leurs contraventions et les retraits de permis de conduire, font peur.

C'est gênant à dire, mais quand il n'y a pas de punition, on n'a pas toujours l'impression que les gens ont une grande envie de respecter la loi.

Une punition juste,
une punition injuste

Jérémie est privé de récréation pendant
3 jours. Parce qu'il s'est caché près
du robinet des toilettes pour balancer
de l'eau à tous ceux qui venaient faire
pipi ! Jérémie sait bien que c'est interdit
de jouer avec l'eau. C'est dans
le règlement de l'école. Il regrette
de s'être fait prendre, mais ne râle
pas d'être puni. Ça aurait pu être pire !

Jérémie comprend sa punition. Il est énervé parce que ce n'est jamais agréable d'être puni. Mais, au fond de lui-même, il sent que ce n'est pas injuste.

Alice est furieuse : le directeur vient
de lui confisquer son jeu vidéo pendant
une semaine ! Elle jouait dans la cour,
le directeur est passé et lui a dit que
c'est interdit d'apporter des jeux vidéo
à l'école. Jamais Alice n'a entendu

parler de cette règle. Elle vérifie :
ce n'est pas écrit dans le règlement
qui est affiché dans le hall.
Et personne n'a entendu parler
de cette règle.

Alice ne comprend pas sa punition. On imagine bien ce qu'elle ressent. C'est normal de trouver une punition injuste quand aucune loi n'existe. Si les parents punissent parce qu'on regarde la télévision le jeudi soir, mais qu'ils n'ont jamais dit que c'est interdit le jeudi soir, alors, la punition est totalement injuste.

Paul et Sébastien
se battent. C'est Paul
qui a commencé :
il a donné un coup
de pied
à Sébastien.
Sébastien
se défend en lui
enfonçant le poing
dans le ventre.

C'est de sa faute !

Pile au moment où la maîtresse se retourne ! Elle punit Sébastien, il doit rester dans un coin de la cour et copier pour demain, 100 fois : « Il ne faut pas donner de coups de poing. » Sébastien en est malade : Paul a commencé et c'est lui qui se fait punir, c'est injuste !

Sébastien trouve la punition injuste. Il sait que c'est interdit de se battre à l'école. Mais il trouve que la maîtresse aurait dû au moins les punir tous les 2.

Il a raison, mais que faut-il faire quand on est victime d'une injustice ?

Souvent, on a envie de tout casser, de hurler, de partir en courant au bout du monde.

Injustice = violence

Moussa suit son copain Peter et le voit entrer dans le jardin. Le père de Peter avait raison, à l'entrée, c'est bien écrit : « Interdit aux Noirs ». Moussa décide

 d'entrer quand même, fait le tour, escalade la grille de derrière et court vers les trampolines. Voir tous les autres rebondir de plus en plus haut lui fait trop envie. Il n'a pas vu le garde qui fonce vers lui. Le garde l'attrape et le conduit au poste de police. Sur le chemin, des gens ont vu Moussa. Ils préviennent sa famille, ses amis arrivent, et une manifestation commence devant le poste de police. Tout le monde s'énerve, les gens lancent des pierres sur les policiers, les policiers sortent leurs matraques, une bagarre générale éclate.

L'injustice crée la violence. Parce que l'injustice, c'est de la violence. Lire la pancarte « Interdit aux Noirs » à l'entrée du jardin, c'est violent, pire que de se prendre un coup de poing en pleine figure. Et quand on reçoit un coup de poing, on a du mal à ne pas répondre par un autre coup de poing. Les injustices mettent la rage à l'intérieur des hommes. Souvent, elles sont tellement insupportables qu'elles donnent envie de se battre. Et, quelquefois, les gens ne trouvent pas d'autre moyen pour arrêter l'injustice.

Dans le pays de Moussa, les lois ont changé. Elles interdisent maintenant de faire des différences entre les hommes à cause de la couleur de leur peau. Beaucoup de gens se sont battus pour que cette justice s'installe.

Mais se battre pour la justice, ce n'est pas forcément être violent. Heureusement, la rage que l'injustice met dans les hommes peut se transformer en autre chose que de la violence : elle peut se transformer en énergie pour faire changer les choses.

La révolte contre l'injustice peut donner une incroyable énergie.

La rage est en nous !

Benjamin fait une passe à Thomas
qui tire et marque. BUT ! Toute l'équipe
de Thomas se jette sur lui et l'embrasse.
Mais ils n'ont pas entendu le coup
de sifflet de l'arbitre : Thomas a touché
le ballon avec la main, le but est refusé.
« Archifaux, hurle Thomas, ma main
n'a pas touché le ballon ! » Il fonce
sur l'arbitre, l'insulte, l'attrape
par le maillot et essaie de le frapper.
Il est enragé. Carton rouge, expulsion,
Thomas sort du terrain et n'aura pas
le droit de jouer pendant 3 matchs.

En fait, Thomas n'a absolument pas touché le ballon avec la main. L'arbitre s'est trompé, ça arrive, le but devait être accepté, c'est injuste. Thomas veut tout casser.

Benjamin fait une passe à Thomas
qui tire et marque. BUT ! Toute l'équipe
de Thomas se jette sur lui et l'embrasse.

Mais ils n'ont pas entendu le coup
de sifflet de l'arbitre : Thomas a touché
le ballon avec la main, le but est refusé.
« Archifaux, hurle Thomas, ma main
n'a pas touché le ballon ! » Thomas reste
allongé sur la pelouse, une boule dans
la gorge, il s'étouffe de rage. L'entraîneur
doit le remplacer par un autre joueur.

Là, l'injustice a cassé Thomas. Plus d'énergie,
plus de force, le vide.

Benjamin fait une passe à Thomas
qui tire et marque. BUT ! Toute l'équipe
de Thomas se jette sur lui et l'embrasse.
Mais ils n'ont pas entendu le coup
de sifflet de l'arbitre : Thomas a touché
le ballon avec la main, le but est refusé.
« Archifaux, hurle Thomas, ma main
n'a pas touché le ballon ! » Il le dit
à l'arbitre, mais rien à faire. Thomas
sent une énorme rage monter en lui.
On va voir ce qu'on va voir ! L'arbitre
refuse ce but, OK, mais il va accepter

les suivants ! Thomas se met à jouer comme un dieu. Il a une énergie incroyable, plus de fatigue, plus de crampes. Il dribble tous ses adversaires et, 2 minutes avant la fin du match, met un superbe but du pied gauche.

La rage lui a donné de la force et une terrible envie de se battre… pour marquer un autre but.

L'injustice donne la rage, pas de doute là-dessus. Ensuite, à chacun de nous de voir ce qu'il va faire de cette rage. Tout casser ? S'effondrer ? Ou utiliser cette rage pour construire la justice ?

Quelquefois, on se retrouve entre amis, à deux, à trois ou plus, pour regarder un film, faire un jeu, préparer un exposé ou simplement écouter de la musique. Ou on est là, ensemble, sans rien faire de spécial. Et il arrive que la conversation démarre, sur un sujet qui intéresse tout le monde.

MON CAHIER
GOûTER PHILO

Sans s'en rendre compte, on se lance dans de grandes discussions sur les parents, les professeurs, les amis, sur l'amour, la guerre, la honte, l'injustice… On refait le monde ! Et le soir, quand on se retrouve seul, on y repense.

C'était vraiment bien de pouvoir parler de tout ça, même si parfois, on est furieux parce qu'on n'est pas du tout d'accord avec ce que les autres disent, ou parce qu'il y en a qui veulent tout le temps parler et n'écoutent rien.

UN VRAI
GOÛTER PHILO

Mais alors ! Si c'était bien, pourquoi ne pas organiser des débats, des discussions, sur un sujet qu'on choisirait ensemble ? À la maison, chez des amis ou, pourquoi pas, à l'école ?

Alors voici quelques trucs pour réussir un vrai « goûter philo » :

Il vaut mieux ne pas être plus de 10 personnes.

Évidemment, il faut un bon goûter, à boire et à manger !

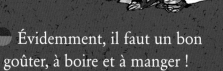

C'est bien d'être assis par terre... On peut s'installer comme on veut, on parle plus librement ! Et on peut mettre le goûter au milieu du cercle...

Quelqu'un est chargé de proposer plusieurs sujets. Sauf si tout le monde s'est déjà mis d'accord pour parler de quelque chose de précis.

Chacun réfléchit pour décider quel sujet il préfère, sans rien dire aux autres pour ne pas les influencer.

Quand tout le monde a choisi, on vote pour le sujet dont on a le plus envie de parler. Attention : un seul vote par personne.

Le sujet qui a le plus de voix gagne : c'est de cela qu'on va parler aujourd'hui.

Les autres trucs, pour réussir à s'écouter, pour ne pas s'agresser, pour accepter les idées différentes des siennes, pour laisser parler tout le monde, ces autres trucs, vous les trouverez vite vous-mêmes !

C'est parti ! Donnez-vous une heure. Mais après tout, vous pouvez aussi y passer la journée !

UN VRAI GOÛTER PHILO
SUR LA JUSTICE ET L'INJUSTICE

Les jus de fruits et les gâteaux sont là, le sujet aussi : aujourd'hui, vous avez choisi « La justice et l'injustice ». Si la discussion a du mal à démarrer – cela arrive quelquefois, on se regarde tous et personne ne sait quoi dire ! –, voici quelques pistes pour lancer le débat :

Qui aimerait vivre dans un pays comme Equalia, dont on parle pages 13 à 15 ?

Patrick et Marianne, page 23, ont rempli une boîte à injustices. Et si on prenait 5 minutes pour que chacun remplisse la sienne ?

Est-ce qu'on est d'accord avec ce qui est dit sur les punitions, page 33 ?

Pages 36 à 38, Jérémie, Alice et Sébastien sont punis. À leur place, quelle réaction aurions-nous ?

Pour s'aider, on peut naviguer comme cela dans le livre. Quelqu'un lit tout haut un passage, ou une des petites histoires. Cela fait penser à des histoires qui nous sont arrivées ou sont arrivées à d'autres, on les raconte et on essaie, ensemble, de comprendre ce qu'elles veulent dire.

On peut aussi se poser des questions, et en poser aux autres. Et chercher ensemble des réponses… ou bien se rendre compte que, quelquefois, on ne trouve pas de réponse : derrière une question, il s'en cache une autre, et encore une autre, et encore une autre…

En voici quelques-unes, en vrac… de quoi s'occuper des heures !

« Est-ce que nous voyons beaucoup d'injustices autour de nous ? » ; *« Qui décide de ce qui est juste ? »* ; *« Les punitions servent-elles à quelque chose ? »* ; *« Et les lois, à quoi servent-elles ? »* ; *« Existe-t-il des lois injustes ? »* ; *« Que peut-on faire lorsqu'on est victime d'une injustice ? »* ; *« Connaît-on des gens qui sont violents parce qu'ils subissent des injustices ? »*

À vous de jouer ! À vous de goûter !
À vous de philosopher !

DANS LA MÊME COLLECTION

①

La vie et la mort

②

La guerre
et la paix

③

Les dieux et Dieu

④

Le travail
et l'argent

⑤

Prendre son temps
et perdre son temps

⑥

Pour de vrai
et pour de faux

⑦

Les garçons
et les filles

⑧

Le bien et le m

⑨

La justice
et l'injustice

⑩

Ce qu'on sait et
ce qu'on ne sait pas

⑪

Les chefs
et les autres

⑫

Les petits
et les grands

13

Libre et pas libre

14

Le bonheur
et le malheur

15

La nature
et la pollution

16

La fierté
et la honte

17

L'être
et l'apparence

18

La violence
et la non-violence

19

La beauté
et la laideur

20

Le rire
et les larmes

21

Le courage
et la peur

22

Le succès
et l'échec

23

L'amour et l'amitié

24

Le respect
et le mépris

La parole
et le silence

Le corps
et l'esprit

D'accord et pas
d'accord

La mémoire
et l'oubli

L'homme
et l'animal

Les droits
et les devoirs

Moi et les autres

Normal
et pas normal

Le rêve
et la réalité

Croire et savoir

La richesse
et la pauvreté

Possible
et impossible

La tristesse
et la joie

La dictature
et la démocratie

Être et avoir

Les machines
et les hommes

Moral
et pas moral

Brigitte Labbé est écrivain. Michel Puech (titres 1 à 25) est maître de conférences en philosophie à la Sorbonne. Pierre-François Dupont-Beurier (titres 26 à 41) est professeur agrégé de philosophie. Jacques Azam illustre tous les « Goûters Philo » et signe également des BD chez Milan.